KU-166-794

Sommaire

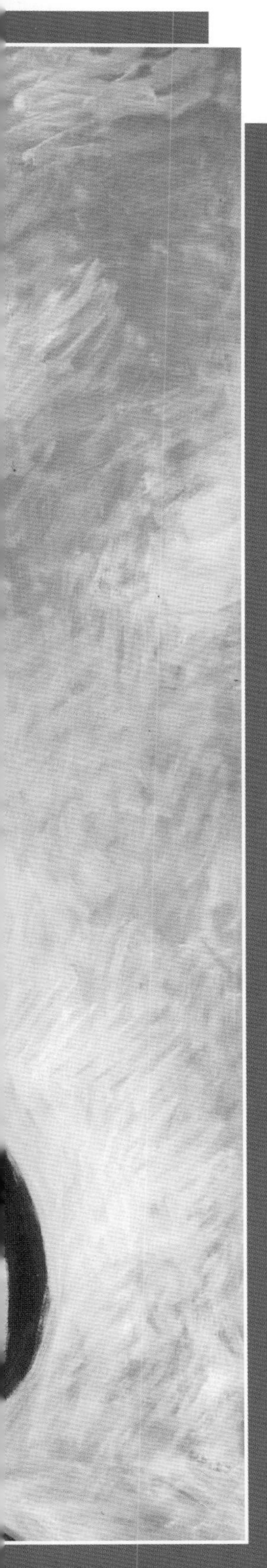

Offrir une orangerie à ses Nymphéas, tel fut le dernier rêve de Claude Monet, un rêve d'artiste dont Georges Clemenceau avait saisi la grandeur mais que l'administration culturelle de ce pays, rarement visionnaire, ne sut jamais réellement ni servir ni entretenir. L'Orangerie du jardin des Tuileries avait été construite dès le début du règne de Napoléon III pour accueillir orangers et plantes rares dont raffolait l'impératrice Eugénie. Ironie du sort, cette vaste nef de pierre conçue pour s'accorder avec l'architecture de Palais des Tuileries verra le chef d'œuvre de Philibert Delorme incendié par les communards et rasé sur ordre de Jules Ferry. Abandonnée, désaffectée, utilisée en fonction des besoins et des soubresauts de l'Histoire comme hôpital de campagne, lieu d'exposition canine ou gymnase, l'orangerie des Tuileries sera sauvée de l'oubli et de la destruction par la rencontre du Tigre et de l'ermite de Cheverny. Le “Père la Victoire” et le génie de l'impressionnisme jetèrent leurs dernières forces dans la réalisation d'un projet aussi fou que moderne : offrir à une œuvre contemporaine un écrin historique. Ainsi, pendant les huit dernières années de sa vie, le peintre va-t-il travailler à réaménager l'orangerie des Tuileries pour y exposer son Grand Œuvre ; littéralement possédé par le lieu, il va même jusqu'à modifier son projet initial pour l'adapter aux contraintes architecturales qu'il rencontre.

Inaugurés en grande pompe quelques mois après la mort de Monet, les Nymphéas seront peu à peu boudés par le public, puis oubliés, comme si leur consécration officielle avait badigeonné ce triomphe de la couleur impressionniste d'une grisaille académique. L'installation de la collection Walter Guillaume dans les lieux va relancer l'Orangerie, mais elle se fera au détriment de “l'installation” de Monet qui se verra amputée de sa lumière zénithale, puis de son vestibule, entièrement détruit, et enfin de son accès direct à la terrasse du bord de l'eau. Le tout dans l'indifférence générale. Il faudra attendre les travaux de rénovation de ces dernières années pour que les Nymphéas retrouvent la lumière du jour, même si la scénographie voulue par Monet lui-même reste, pour partie, irrémédiablement perdue. Le

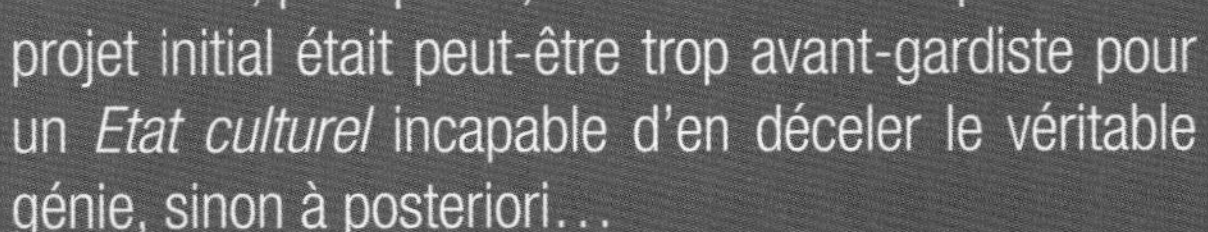

projet initial était peut-être trop avant-gardiste pour un *Etat culturel* incapable d'en déceler le véritable génie, sinon à posteriori…

© Stephan Gladieu

Patrick de Carolis
Journaliste et écrivain

Vous pourrez découvrir en détail les oeuvres présentées dans cette double page en visionnant le DVD. Les commentaires audio sont également disponibles en format MP3 sur le DVD et pourront vous servir d'audioguide lors d'une prochaine visite du musée.

L'histoire du Musée de l'Orangerie

Comme son nom l'indique, l'Orangerie fut construite dans les jardins des Tuileries en 1852 afin d'abriter les orangers du palais royal. Ce dernier fut brûlé par les insurgés de la Commune en mai 1871, puis démoli en 1883.

Utilisée à des fins diverses, l'Orangerie passa en 1921 sous l'administration des Beaux-Arts pour devenir une annexe du musée du Luxembourg. À cette époque, Claude Monet, qui avait promis à la fin de la guerre d'offrir à l'État le cycle des *Nymphéas* et qui était en train de le réaliser, accepta l'offre de Clémenceau de l'installer dans le musée et s'occupa personnellement de son agencement dans les lieux. L'espace restant de l'unique étage qui composait le musée fut alors consacré à des expositions temporaires visitées par un grand nombre d'amateurs.

Une quarantaine d'années plus tard, l'Orangerie entra en possession de la collection d'art moderne de Paul Guillaume et de sa veuve Domenica Walter. Des travaux d'agrandissement devinrent alors indispensables. La collection était si vaste que l'architecte Olivier Lahalle dut réaliser un nouvel étage entre 1960 et 1965. Les modifications apportées au bâtiment ont toutefois nui aux *Nymphéas*, privés de la lumière naturelle et du vestibule d'entrée ; d'autre part, lorsque la collection Guillaume/Walter fut installée définitivement dans les lieux, elle rendit impossible l'organisation des fameuses expositions temporaires qui, jusqu'aux années 1980, avaient assuré au musée un flux constant de visiteurs.

En 2000, le ministère de la Culture donna finalement son feu vert au directeur de l'Orangerie, Pierre Georgel, pour lancer une nouvelle campagne de restructuration qui se termina en 2006. Les derniers travaux ont su redonner son identité au musée. En effet, ils ont non seulement permis d'agrandir l'espace et d'organiser ainsi à nouveau des expositions temporaires, mais aussi de replacer l'œuvre de Monet dans son contexte originel et de redonner à la collection Walter-Guillaume son identité historique et esthétique.

Vue du Musée de l'Orangerie

ORANGERIE
Orangerie

Les nymphéas de Monet

Au terme de la longue bataille menée par le président du conseil Georges Clémenceau pour convaincre son ami Monet, ce dernier décide de faire don à la France de l'œuvre à laquelle il consacrera pas moins de douze ans de sa vie, entre 1914 et 1926. Ce don est officialisé au lendemain de l'armistice du 11 novembre 1918, ce qui lui donne la valeur symbolique d'un hommage à la paix après cette guerre sanglante. En 1927, quelques mois seulement après la mort de Monet, le musée ouvre ses portes au public.

À l'Orangerie, qui se niche dans la verdure du jardin des Tuileries, parallèlement à la Seine, les *Nymphéas* constituent une sorte de prolongement naturel du paysage. Les deux œuvres représentant le coucher de soleil ont d'ailleurs pu être exposées au ponant, profitant de l'orientation d'est en ouest du bâtiment. Et surtout, l'emplacement à la fois central et spécifiquement aménagé pour la série crée une atmosphère de recueillement et de paix intérieure, nécessaire pour bien apprécier l'œuvre.

Les *Nymphéas* ont été conçus par le peintre comme une forme d'échappatoire à la frénésie de la vie moderne et à l'horreur des évènements qui ont secoué le pays durant quatre longues années et dont les blessures sont restées ouvertes longtemps après. Le spectateur se plonge dans cette nature silencieuse et colorée, retrouvant l'odeur et la saveur d'une paix oubliée. Monet s'est occupé lui-même de l'organisation des salles, imaginant deux espaces contigus de forme elliptique, symbolisant l'infini. Dans le vestibule qui précède les deux salles, une affiche demande aux visiteurs de bien vouloir garder le silence afin de préserver l'atmosphère paisible à laquelle elles invitent.

Pratique

Web : www.musee-orangerie.fr
Adresse :
Musée de l'Orangerie
Jardin des Tuileries
75001 Paris
France
+33 01 44 77 80 07

Ouverture :
Ouvert tous les jours, sauf le mardi

Fermeture les jours fériés suivants :
25 décembre
1er mai

Horaires d'ouverture :
de 9h à 18h (évacuation à 17h45)

Tarifs collections permanentes :
Plein tarif : 7,50 €
Tarif réduit : 5 €
Majoration de 1,50 € pour les expositions temporaires
Gratuit pour tous, le premier dimanche du mois

Venir au musée :
Métro :
1, 8, 12, station Concorde

Bus :
24, 42, 52, 72, 73, 84, 94, arrêt Concorde

Parkings :
Jardin des Tuileries et Carrousel
(accès par le quai des Tuileries ou la rue de Rivoli),
rue du Mont-Thabor, rue des Pyramides.

La collection Walter-Guillaume

Autodidacte d'origine modeste, rien ne prédestinait Paul Guillaume à devenir le collectionneur passionné et le défenseur de la production artistique de son époque qu'il sut être. Grâce à son audace et à l'originalité de ses goûts, il devint en quelques années l'un des principaux galeristes parisiens du début du XXe siècle. Promoteur de l'art africain ainsi que de nouveaux talents comme Picasso, Matisse, Derain et Modigliani, il souhaitait partager sa vaste collection avec le public. Sa mort prématurée en 1934, alors qu'il n'avait que 44 ans, laissa son projet d'offrir à Paris un authentique musée d'art vivant inachevé.

C'est son épouse Domenica qui reprendra le flambeau, en suivant ses propres inclinations. Remariée en 1941 avec le très riche homme d'affaires Jean Walter, elle a les moyens financiers d'amplifier et de modifier la collection à son gré. Elle vend les œuvres qu'elle considère comme trop audacieuses pour les remplacer par des Cézanne et des Renoir.

Fidèle à la volonté de son premier époux, Madame Walter fait toutefois don de sa collection au Louvre, qui décide de l'exposer à l'Orangerie. Elle suit les travaux d'agrandissement de l'architecte Olivier Lahalle, souhaitant créer une atmosphère qui fasse penser à une résidence particulière de style néo-classique, avec une série de pièces permettant de conserver l'unité et le caractère de la collection. Elle demande aussi à ce que les noms de son premier et de son second mari soient unis, même si Jean Walter n'a pas participé à la formation de cette collection.

À la mort de Domenica en 1977, la collection devient définitivement propriété de l'État français. Elle est exposée à l'Orangerie depuis 1984.

Les **Salles**

Rez-de-chaussée haut

Salle 1 Les Nymphéas

Du petit vestibule circulaire qui accueille les visiteurs, on entre dans la première des grandes salles ovoïdes imaginées par Monet pour accueillir ses *Nymphéas*.
Au gré de nos déplacements dans la salle, nous sommes saisis par une sensation nouvelle, comme si nous plongions dans un monde rempli d'eau et de couleurs.
En s'approchant des énormes toiles, on distingue des milliers de touches qui interagissent les unes avec les autres pour former un ensemble harmonieux. On se sent littéralement enveloppés par les couleurs, baignés par la lumière du coucher de soleil, ravis par le calme de cet univers.

■ **Claude Monet**
(1840-1926),
Soleil couchant,
1914-26

Le coucher du soleil donne à la surface de l'eau des teintes inédites. Les nymphéas se confondent et tout se mélange dans une explosion de couleurs embrasées par le soleil.
La partie centrale de l'œuvre est littéralement inondée par les tons jaunes et rose de ses rayons. Le vert des brins d'herbe poussant sur la rive et les couleurs vives des nymphéas s'ajoutent au flamboiement traditionnel du coucher de soleil. Des taches de bleu ici et là nous rappellent la présence de l'eau. Sur les côtés, les verts et les rouges sombres dominent et font ressortir le jaune or de la partie centrale de la toile. Les touches qui semblent tracées au hasard se côtoient, s'opposent, se mélangent et se renforcent réciproquement, créant une richesse chromatique qui capture irrésistiblement le regard.

■ Claude Monet
(1840-1926),
Reflets verts,
1914-26

Assombrie par le feuillage des arbres, l'eau de l'étang se pare de reflets bleu foncé et de taches vertes. Là où passe la lumière, on entrevoit des taches d'un bleu plus clair et, ça et là, des nymphéas bleus, blancs et roses. Une série de traits verticaux et vibrants animent la superficie de l'étang autrement immobile. Les couleurs deviennent plus intenses au centre de la toile et s'éclaircissent sur les bords du tableau. Des variations de bleu et de violet se succèdent en interagissant les unes avec les autres. Les groupes de nymphéas ronds, blancs, jaunes et roses, enrichissent la bichromie de l'eau miroitante. Le spectateur a l'impression de pénétrer dans cette masse de couleurs vives et changeantes, sans personnages, ni aucun autre élément extérieur. On est littéralement absorbé par cette toile immense, qui recrée "l'illusion d'un tout sans fin, d'une onde sans horizon et sans rivage", ainsi que le déclarait et le voulait Monet.

Salle 2 Les Nymphéas

Assis au milieu de la salle, on prend le temps d'explorer ces tableaux qui semblent constituer un "tout infini", pour reprendre les mots de Monet.
Le regard parcourt librement les murs où les toiles courent sur presque 50 mètres. La lumière naturelle entre par le plafond, filtrée et tamisée.
Les saules, les rives, les nymphéas que notre œil distingue sans erreur possible à quelques mètres de distance ne sont qu'une suite de touches en apparence fortuites et discordantes lorsqu'on les regarde de plus près.
Pour donner vie à ses troncs d'arbre comme à ses fleurs, Monet déploie toutes les nuances du blanc, du rose, du jaune, du rouge, du vert et du bleu. C'est à nos yeux de faire la synthèse de ces couleurs.
Et c'est ainsi qu'on peut se laisser bercer doucement par les branches des saules qui effleurent l'eau immobile ou envelopper par la brume matinale qui se forme au-dessus de l'étang.

■ Claude Monet (1840-1926), ***Le Matin clair aux saules***, 1914-26

De légers nuages blancs se reflètent distinctement sur la surface immobile de l'eau. Sur la rive, deux saules effleurent l'étang de leurs feuilles tandis que leurs branches enrichissent l'eau d'un beau coloris vert. De petites touffes de nymphéas se déploient le long de la rive. En se servant d'innombrables touches d'un blanc et d'un rose délicats, Monet réussit à rendre les changements du ciel qui se reflète dans l'eau éclatante de lumière. Ces taches vives contrastent avec les couleurs foncées projetées par l'ombre des saules. Les deux troncs au profil incertain sont éclairés par de fines touches de blanc identiques à celles qui rident la surface de l'eau. L'œuvre mesure au total plus de douze mètres de long. En jouant sur l'absence de lignes de contour nettes et sur les couleurs qui se fondent, Monet évite tout élément de rupture et nous attire irrésistiblement à l'intérieur de ce spectacle lacustre.

Rez-de-chaussée bas

Salle de Renoir et Cézanne I

Une série de colonnes lisses rythme l'espace de ce long couloir blanc. La lumière naturelle entrant par le plafond permet à ce lieu étroit de respirer. Ses murs hébergent des toiles de Cézanne et de Renoir de petit format.

La présence prépondérante de Renoir dans le musée, avec un total de 25 œuvres, est due à la prédilection pour ce dernier de Domenica Guillaume-Walter, qui a agrandi la collection à son gré après la mort de son mari. Contrairement à Paul, qui aimait les déformations des peintres cubistes et la violence chromatique des fauves, Domenica appréciait les artistes plus classiques et figuratifs. La grâce des nus et des personnages féminins de Renoir lui plaisait donc particulièrement.

Pierre-Auguste Renoir (1841-1919), ***Jeunes filles au piano***, vers 1892

D'un trait rapidement brossé, Renoir saisit sur le vif une scène de loisir bourgeois. Une jeune fille vêtue d'une robe aux reflets azur, à la taille serrée dans le dos par un ruban bleu, joue du piano. Elle s'apprête à tourner la page de sa partition. Elle a l'air concentré, le cou tendu et les lèvres entrouvertes, mais ne cache pas son plaisir. À côté d'elle, une autre jeune fille l'observe en silence, le coude posé sur le piano. Renoir choisit de s'attarder sur les deux personnages en laissant le décor environnant inachevé : l'espace qui les entoure est à peine ébauché, et l'instrument de musique lui-même a été réalisé en vitesse. Tout en juxtaposant des couleurs chaudes et des couleurs froides, il réussit à marier harmonieusement les teintes en évitant de trop forts contrastes. Il existe six versions de cette peinture. Celle que l'artiste considérait comme définitive est exposée au musée d'Orsay.

Pierre-Auguste Renoir (1841-1919), ***La Baigneuse aux cheveux longs***, 1895-96

Le corps lumineux de la baigneuse en train de sortir lentement de la rivière ressort sur le fond aux teintes plus sombres. Les joues légèrement rougies et le regard doux, elle s'aide en posant une main sur un rocher. Ce personnage témoigne de l'intérêt de Renoir pour le classicisme. Le corps délicat, le teint nacré de la jeune femme et son attitude – la façon dont elle retient son vêtement blanc comme pour se couvrir – rappellent les pudiques Vénus de l'Antiquité. Ses mouvements posés et sa beauté radieuse donnent une impression d'innocence paisible.
Les couleurs sont appliquées rapidement, au point que l'œuvre peut sembler inachevée. Le décor indéterminé a une consistance granuleuse. Une série de touches rapides et circulaires crée un petit tourbillon dans l'eau autour des jambes de la jeune femme. Les touches blanches se transforment en bandes de couleur pure pour matérialiser la rivière.

■ **Claude Monet**
(1840-1926),
Argenteuil,
1875

En 1871, Monet s'installe à Argenteuil, au nord de Paris. Le tronçon de la Seine qui borde la petite ville, lieu de détente très fréquenté des plaisanciers, devient alors l'un de ses sujets favoris. Vers 1875, il réalise une série de vues où il ne modifie que la position des bateaux et le cadrage de la représentation. Dans celle-ci, l'orange vif tirant sur le rouge des coques de deux voiliers contraste avec le bleu intense du ciel et celui de l'eau troublée par les tons verts de la végétation aquatique. Les bateaux au mouillage dressent leur mât vers le ciel et se reflètent dans l'eau, contribuant à la verticalité de la composition. Sur la rive, un couple de promeneurs observe les marins, représentés par de petites silhouettes que l'on peine à distinguer parmi les taches de couleurs. Le thème choisi par l'artiste est un prétexte pour étudier le jeu des reflets qui est au cœur de sa recherche picturale.

■ **Alfred Sisley**
(1839-1899),
Le Chemin de Montbuisson à Louveciennes,
1875

En choisissant une ligne d'horizon basse, Sisley permet au ciel gris d'occuper la majeure partie de la toile. Une atmosphère de plomb pèse sur ce paysage. Les collines basses de l'Île-de-France, couvertes de groupes de maisons blanches, se profilent au loin. De petites silhouettes dessinées d'un trait vif et nerveux parcourent le chemin qui traverse la campagne pour mener aux villages. Les touches vibrantes et l'attention particulière que Sisley accorde à la représentation de la lumière témoignent de l'influence impressionniste. Sa vision dramatique de la nature rappelle, quant à elle, les origines anglaises de l'artiste. Cette tension teintée de mélancolie s'exprime dans le choix des couleurs. Le gris et le bleu ciel dominent la toile, tandis que l'ocre et les verts éteints ravivent à peine les tonalités froides.

Salle de Renoir et Cézanne II

En se dirigeant vers la seconde partie du couloir, on rencontre un autre artiste favori de Domenica Walter. En effet, une bonne partie des oeuvres de Paul Cézanne conservées ici ont été acquises par la veuve de Guillaume pendant les années 1950. La somme exorbitante pour laquelle elle s'est adjugé sa nature morte avec *Pommes et biscuits* lors d'une vente aux enchères fit d'ailleurs la une des journaux.
Les toiles exposées permettent de retracer les étapes du parcours artistique du maître aixois. On le voit s'inspirer au départ de la recherche impressionniste, puis s'éloigner de ces touches si caractéristiques de couleurs vives et vibrantes pour arriver enfin au dessin clair et aux formes essentielles de ses natures mortes.

Paul Cézanne
(1839-1906),
Pommes et biscuits,
1879-80

Une douzaine de pommes sont posées sur un coffre devant un mur recouvert de papier peint : la scène est simple et dépouillée, mais en même temps délicate et intime. La composition est divisée en trois bandes horizontales presque égales. Les tonalités ocre et jaunes qui dominent au premier plan contrastent avec le vert du couvercle du coffre et avec les tons de rouge, orange et jaune des pommes. Des touches dansantes animent légèrement le fond gris sur lequel émerge à peine un motif floral. De petits détails viennent contredire l'austérité de l'image : les pommes disposées au hasard cassent l'ordre rigoureux de la toile, tout comme l'assiette au bord bleu contenant les biscuits à droite qui, à moitié hors cadrage, semble avoir été abandonnée là par hasard ; sans oublier le loquet qui projette son ombre oblique sur le bois.

Paul Cézanne
(1839-1906),
Portrait du fils de l'artiste,
1881-82

Cézanne peint le portrait de son fils Paul sur une toile de petit format qui fait penser à une photographie. L'enfant, assis dans un fauteuil au ton sombre, porte son uniforme d'écolier bleu. Le peintre se sert de la masse du bout du dossier, à droite, pour faire contrepoint au visage et pour délimiter l'espace pictural. Le jeune garçon affiche un regard absent et tranquille. Il ferme la bouche avec une expression songeuse et se tourne vers son père.
Cézanne applique les couleurs en touches amples et légères. De grandes zones de bleu côtoient la teinte rosée de ses joues, uniformisant ainsi la gamme chromatique. La délicatesse des couleurs et l'expression paisible de Paul accentuent l'intimité et la tendresse que dégage ce portrait.

■ **Paul Gauguin**
(1848-1903),
Paysage,
1901

Le paysage représenté ici par Gauguin est celui d'Hiva Oa, une île de l'archipel des Marquises où le peintre s'est installé en 1901, après avoir quitté Tahiti. La nature luxuriante est sans conteste le thème principal de l'œuvre. Le feuillage luxuriant des arbres aux troncs allongés domine la toile et ôte la vedette aux petits personnages qui se promènent dans l'herbe haute. Ce sont trois enfants accompagnant un adulte vêtu de noir, probablement un prêtre missionnaire. Une maison blanche se cache derrière les arbres. La végétation prend forme grâce à la juxtaposition de longues touches de couleurs explorant toutes les nuances du vert.
Cette œuvre est un hommage à la nature puissante et sauvage de ces îles auxquelles le peintre se sentait particulièrement lié. Le ciel et la végétation sur les côtés de la toile sont exécutés de façon approximative, laissant supposer aux experts que le tableau, laissé inachevé par Gauguin, a été terminé par un anonyme.

Salle de Rousseau et Modigliani

Cette salle conserve des œuvres du Douanier Rousseau, en petit nombre, mais particulièrement significatives. Rousseau était l'un des peintres les plus appréciés de l'avant-garde parisienne ; il avait été recommandé à Paul Guillaume par Apollinaire en personne.
Brisant les schémas traditionnels de la peinture, il se consacra à un art primitif et populaire, faisant fi de la troisième dimension. Ses œuvres, dominées par des couleurs pures, sont faites de lignes simples et baignent dans une atmosphère irréelle.
Arrivé à Paris en 1906, Modigliani visita à plusieurs reprises l'atelier de Rousseau, fasciné par sa singularité. Reprenant les formes élémentaires et stylisées du Douanier, Modigliani y ajouta cette force d'expression et cette élégance qui ont capturé l'attention de Paul Guillaume, son premier grand admirateur.

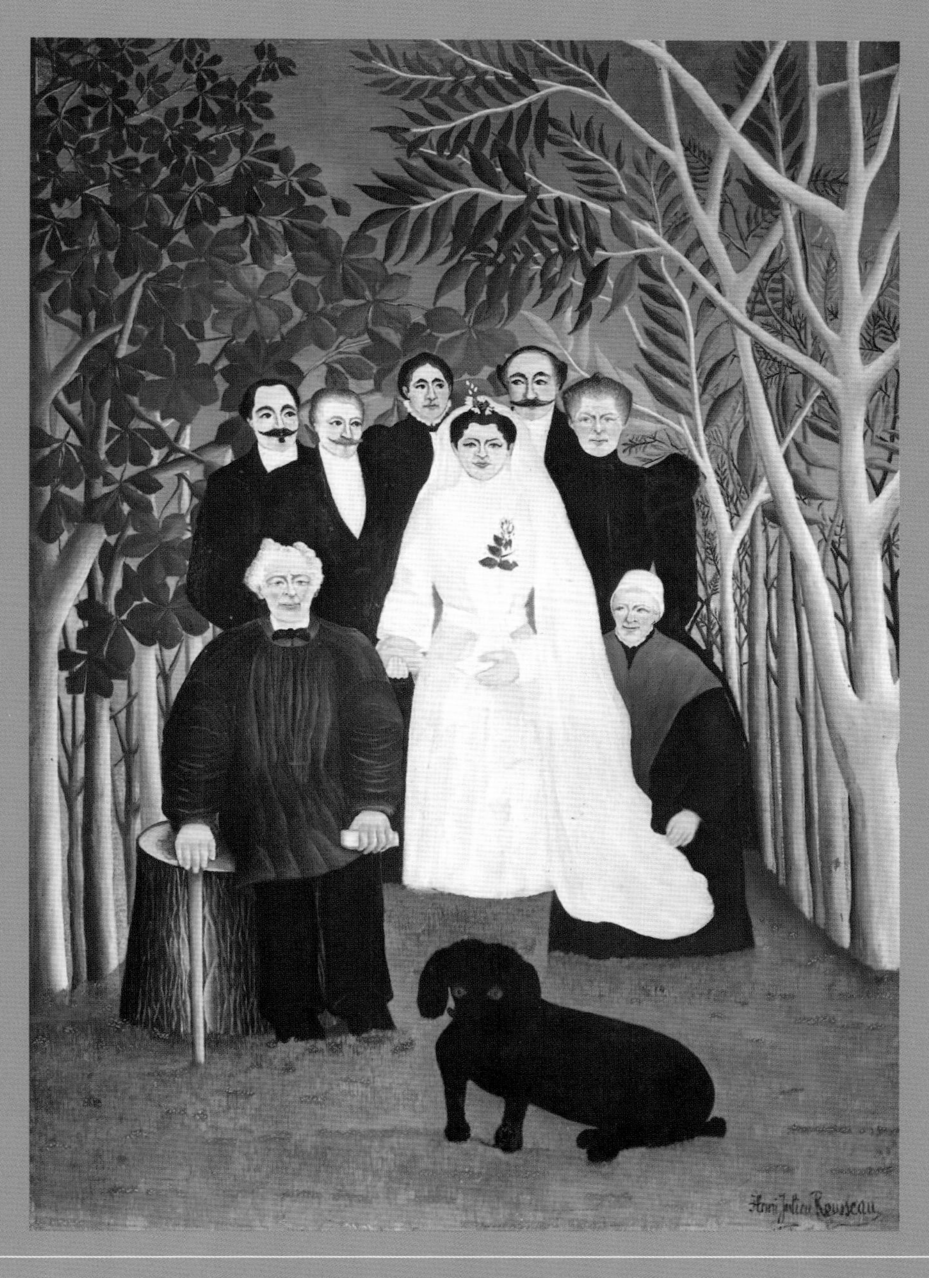

■ Henri Rousseau, dit le Douanier Rousseau
(1844-1910),
La Noce,
1904-05

Un chien noir au premier plan conduit le regard de l'observateur vers le groupe compact de la noce, qui semble poser pour une photo au centre de la toile. Au milieu de ces personnages élégamment vêtus de noir, l'épouse ressort tout particulièrement avec sa robe immaculée. Elle donne la main droite à son mari et tient un petit bouquet dans sa main gauche. Son voile virevoltant couvre en partie la vieille dame à sa gauche. En mettant côte à côte des personnages de différentes générations et origines, Rousseau oppose les jeunes époux et leurs invités vêtus de tenues de ville modernes au couple de vieux parents assis sur les côtés et habillés selon la tradition paysanne. Les arbres alignés en perspective encadrent la scène, renforçant le caractère photographique de l'œuvre. Les personnages semblent toutefois en suspension dans les airs, leurs pieds n'étant pas réellement posés sur l'herbe ; ce qui plonge ce hiératique portrait de groupe dans une atmosphère étrange et irréelle, typique de l'auteur.

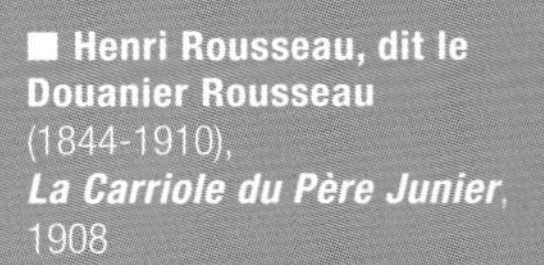

■ Henri Rousseau, dit le Douanier Rousseau
(1844-1910),
La Carriole du Père Junier, 1908

Le Douanier Rousseau représente son ami Junier et sa famille au moyen de traits simples, aux contours nets et sans ombre. Pour montrer leur amitié, il se représente lui-même sur la carriole, à côté du chef de famille, qui tient les rênes. Madame Junier et ses deux jeunes nièces sont assises derrière avec leur chien. La taille de chaque personnage dépend de leur importance relative aux yeux de l'artiste plutôt que de critères objectifs de proportion. Ce portrait collectif est situé dans un parc étrangement désert, traversé par une grande avenue où ne circulent que deux chiens noirs. Chaque feuille de la chevelure abondante des arbres est éclairée par des touches de jaune, qui, avec l'orange des roues de la charrette, ravivent le noir profond du groupe central.

■ **Amedeo Modigliani**
(1884-1920),
Portrait de Paul Guillaume, Novo Pilota,
1915

Paul Guillaume est un jeune marchand d'art audacieux et plein de succès. Ce sont en tout cas les qualités que Modigliani cherche à faire ressortir dans ce portrait. Nous avons en effet face à nous un dandy ambitieux, vêtu d'un élégant complet noir et d'une cravate bleu foncé, tenant nonchalamment une cigarette entre ses doigts gantés. La tête légèrement penchée et les lèvres entrouvertes, laissant échapper de la fumée, il nous fixe de son regard pénétrant. Paul Guillaume fut le premier marchand d'art à s'occuper des œuvres de Modigliani. Son nom écrit en lettres capitales en haut de la toile témoigne de l'enthousiasme que ce partenariat suscitait chez le peintre. En bas à gauche, l'inscription "NOVO PILOTA" se réfère à la personnalité de Guillaume qui, tel un intrépide pilote automobile, fait découvrir l'art moderne et ses protagonistes encore méconnus au grand public.

■ **Amedeo Modigliani**
(1884-1920),
Le Jeune apprenti,
1918-19

Nonchalamment assis sur une chaise, le corps détendu en position de repos, le jeune homme soutient sa tête avec son bras appuyé sur la table. Son autre main repose sur sa jambe. Son visage ovale et régulier, aux lèvres fines, affiche une carnation rosée. Ses yeux mi-clos regardent paisiblement le sol. Cette attitude méditative est l'une de celles que le peintre italien fait adopter le plus fréquemment à ses modèles. Les manches trop courtes de la veste, la chemise sans col ainsi que les grandes mains robustes indiquent que le jeune homme appartient à la classe ouvrière. Le décor est succinct : le marron et le bleu – couleurs caractéristiques de Modigliani – divisent le fond en deux bandes verticales qui s'opposent aux lignes courbes et délicates de la silhouette du jeune homme.

■ **Henri Rousseau, dit le Douanier Rousseau**
(1844-1910),
La Falaise,
vers 1895

Une haute falaise tombe à pic face à une mer d'huile. Sur le rivage, les eaux se brisent en créant une écume dense qui soulève un peu le bateau au premier plan. Un homme debout dirige l'embarcation avec une rame sous le regard de son compagnon assis. Une autre petite barque s'est enlisée dans le sable. À l'horizon, l'une des deux voiles que l'on aperçoit au loin se reflète dans l'eau avec netteté. Avec la simplicité de son dessin et sa palette limitée aux nuances de marron et de bleu, le Douanier Rousseau réussit à restituer la monumentalité des falaises de Normandie. Mais, sous son pinceau, ce lieu concret et familier à beaucoup plonge dans une atmosphère surréaliste. On la doit à son désintérêt pour les règles de la perspective et à la simplification de la représentation, qui plongent le paysage dans une dimension onirique.

■ Henri Rousseau, dit le Douanier Rousseau
(1844-1910),
La Fabrique de chaises,
vers 1897

Une rivière coule à côté d'une fabrique de chaises à Alfortville, une petite ville au sud de Paris. La route, au tracé délicat, est séparée du cours d'eau par une vaste plage. À l'horizon, une rangée de sapins se découpe dans le ciel rempli d'épais nuages gris. Les formes arrondies et volumineuses de la route contrastent avec les lignes droites de la fabrique et du fleuve au premier plan. Le toit orange du bâtiment principal, les morceaux de ciel azur et la berge jaune donnent une touche chaude à la toile. Dans l'espace désert, on aperçoit trois petites silhouettes noires : un pêcheur et un promeneur, suivi d'une dame. La différence de proportion entre les personnages et les bâtiments dans ce paysage silencieux donne à ce tableau une atmosphère irréelle.

FABRIQUE de CHAISES
CHESNOY et Cie
FABRIQUE de CHAISES
Henri Rousseau

Salle de Marie Laurencin

Cette petite salle de couleur bleue est idéale pour accueillir les œuvres intimes et délicates de Marie Laurencin. Couleurs opaques, teints lumineux et visages rapidement esquissés donnent à ses personnages une aura mystérieuse.

La grâce de sa touche n'est plus que douceur dans ses portraits, qui n'ont pas le climat nettement avant-gardiste de ses décors de ballet.

Les corps filiformes et désarticulés de ses danseuses doivent beaucoup à Picasso. En retour, le mouvement cubiste appréciait sa façon de peindre si particulière, qui lui vaudra plus tard le titre de "dame du cubisme".

Marie entra en contact avec le couple Guillaume par l'intermédiaire du poète Apollinaire, avec lequel elle eut une liaison et qui la situait artistiquement entre Picasso et le Douanier Rousseau. Elle réalisa un portrait de Domenica.

■ **Marie Laurencin**
(1883-1956),
Portrait de Mademoiselle Chanel,
1923

Coco Chanel est assise dans un fauteuil, plongée dans ses pensées, la tête appuyée sur la paume de sa main. Son visage exprime une certaine mélancolie. Ses cheveux et ses yeux foncés font ressortir son teint délicat et lumineux. Des taches de lumière animent son visage, sa poitrine et ses bras. Sa pose exalte la sveltesse de son corps, vêtu d'une robe nouée sur l'épaule qui découvre la moitié de son buste. Son cou est entouré d'une longue écharpe noire qui descend jusqu'aux jambes. Un chien placide se repose, pelotonné sur ses genoux. Pour accompagner cette image éthérée et songeuse de la célèbre styliste, Marie Laurencin a ajouté sur le fond une colombe et une petite biche qui enrichissent l'atmosphère presque irréelle de ce portrait délicat. Portrait où Coco, qui se voulait pour tous femme énergique, ne s'est guère reconnue.

■ **Marie Laurencin**
(1883-1956),
Les Biches,
1923

Femmes et biches constituent un amalgame compact de formes souples qui se mêlent et qui se superposent. Les silhouettes ondulées des deux personnages féminins s'intègrent aux lignes élégantes et élancées des animaux. Leurs corps très clairs ne présentent aucune ombre. Un autre élément relie les biches aux danseuses : leurs yeux profonds et impénétrables, simplement faits de deux traits noirs. Le fond est composé de couleurs pâles en harmonie avec la gamme chromatique éteinte de l'ensemble. Les deux femmes sont des danseuses du ballet *Les Biches*, monté par Serge Diaghilev. La toile de l'artiste parisienne a servi de modèle pour la scénographie du spectacle. Le climat énigmatique et sensuel de la peinture n'est pas dû à la seule volonté de Marie Laurencin, mais également au thème du ballet, qui traitait des relations érotiques ambiguës entre les protagonistes.

Salle de Matisse, Derain et Picasso I

Cette salle héberge les travaux de l'un des artistes favoris de Paul Guillaume : Henri Matisse. En effet, le collectionneur avait réussi à se procurer dix-neuf de ses toiles, dont neuf furent toutefois vendues par Domenica après la mort de son époux.

Les oeuvres exposées ici ont été réalisées par l'artiste dans les années 1920, lors de son séjour à Nice. Les odalisques révèlent l'influence des grands nus d'Ingres et de Delacroix.

On découvrira également *L'Étreinte*, de Pablo Picasso. Réalisée en 1903, pendant sa période bleue, elle contient des références évidentes à l'art antique. Mais la reprise de canons figuratifs classiques caractérisera surtout la production avant-gardiste de l'entre-deux-guerres.

Pablo Picasso (1881-1973), ***L'Étreinte***, 1903

Le titre du tableau a beau évoquer un moment d'intimité heureuse entre deux personnes, l'étreinte peinte par Picasso est tout sauf un instant de bonheur. Devant un lit défait, deux amants s'enlacent silencieusement et presque désespérément, la tête appuyée sur l'épaule l'un de l'autre. Et le ventre bas et gonflé de la femme ne nous transmet pas cette joie instinctive liée habituellement à la grossesse. Les corps sont pâles. Les couleurs froides vont du rose au gris, jusqu'au bleu sur le mur du fond. La technique choisie ici est celle du pastel, qui permet au peintre d'obtenir des couleurs plus délavées, mates et délicates. Le tableau est dominé par une sensation d'angoisse et de solitude. Picasso est en pleine "période bleue", imprégnée de la douleur suscitée par la mort d'un ami très cher, mais aussi de la volonté de donner à voir ce monde fait de pauvreté et de dures épreuves qui se développe en marge de la ville moderne.

■ **Henri Matisse** (1869-1954), ***Les Trois sœurs***, 1916-17

L'auteur inscrit ses personnages dans un schéma pyramidal. Les trois sœurs sont assises et deux d'entre elles ont le regard tourné vers nous, bien qu'elles semblent plongées dans leurs pensées. La plus jeune est en train de lire, la tête penchée. Les trois visages, définis avec beaucoup de soin, ne laissent transparaître aucune émotion. Mais la position des mains indique le lien qui les unit : la plus jeune se tient à la chaise de sa sœur à droite, tandis que celle vêtue de la chemise à fleurs pose la main sur son épaule.
Le soin avec lequel le peintre reproduit les coiffures, les vêtements et les visages témoigne de l'attention naturaliste dont il fait preuve au cours de ces années. La chaise en osier blanc est le seul élément ayant un caractère spatial. Comme s'il s'agissait d'une photographie, le fond utilisé est neutre et éclairé par la droite.

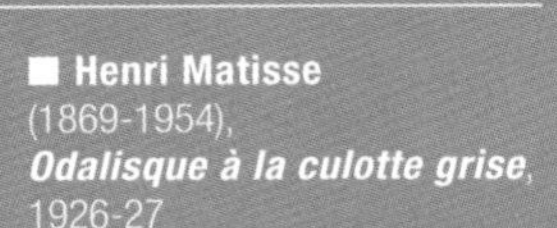

■ **Henri Matisse**
(1869-1954),
Odalisque à la culotte grise,
1926-27

Matisse a recréé avec une audace méticuleuse un flamboyant intérieur oriental, où sa mystérieuse odalisque se repose. Une tenture d'un jaune étincelant descend du plafond. Les murs et le lit sont recouverts de tissus aux couleurs très vives. La pièce est remplie de bibelots voyants qui saturent la surface du tableau. Cette profusion de tonalités chaudes contraste avec l'odalisque couchée au premier plan et vêtue d'une large culotte grise. Des touches de gris dessinent également des ombres sur la peau pâle du modèle à demi-nu. Un trait noir cerne élégamment son corps et marque le contour de son visage, de ses yeux, son nez et sa bouche. Allongée, les bras reposant sur le ventre, elle jette à l'observateur un regard placide. Sa pose horizontale contraste avec la verticalité des lignes multicolores de la tapisserie.

■ **Pablo Picasso**
(1881-1973),
Les Adolescents,
1906

La couleur rougeâtre de cette toile monochrome est celle de la terre de Gósol, un village de Catalogne où Picasso a séjourné pendant quelques mois en 1906. Inspiré par ce territoire isolé, dur et primitif, le peintre représente deux adolescents nus, dans une pose qui rappelle celle des statues classiques. Les corps sont définis par une ligne sombre. Le jeune homme, à gauche, lève les bras autour de sa tête, montrant son corps avec désinvolture. Le personnage à côté de lui, plus frêle et gracieux, est probablement de sexe féminin, d'autant qu'il semble avoir les cheveux attachés en chignon et qu'il tient une cruche sur sa tête. L'absence de décor concentre l'attention du spectateur sur les deux figures. Cette nudité innocente et triomphante est une allusion au réveil de la sexualité à l'aube de la puberté.

Salle de Matisse, Derain et Picasso II

Cette salle nous offre un exemple de la production prolifique de Picasso, fruit de sa recherche incessante. Dans les œuvres des années 1920, le lien avec la sculpture classique est évident, bien qu'en même temps, le grand artiste espagnol recommence à s'inspirer du cubisme.
Derain – autre grand nom de la collection – se rapproche lui aussi de la tradition figurative. Refusant les abstractions proposées par le surréalisme, ses toiles deviennent de plus en plus concrètes et proches de la peinture des maîtres du passé, dont elles reprennent les thèmes et les typologies stylistiques.

■ **Pablo Picasso**
(1881-1973),
Femme au tambourin,
1925

Bien qu'ayant beaucoup évolué au sortir de la Grande guerre, Picasso décide au cours des années 1920 de reprendre ses expérimentations cubistes. C'est ainsi qu'il décompose la base du tambourin et le visage de son modèle, dont il représente le corps avec un dessin stylisé et des aplats de couleur. La gamme chromatique est limitée et, à l'exception du bleu éteint utilisé pour le divan, se réduit à des nuances de marron, de jaune et de rose clair. La femme allongée sur un canapé bas soutient sa tête de sa main, dans une pose qui rappelle celle des statues de la Rome antique. Picasso se sert d'un trait fin pour décrire sommairement les détails de son corps et le mur derrière elle, à moitié recouvert d'une ombre. Pour définir les traits du visage, il se contente d'épaissir cette ligne.

■ **André Derain**
(1880-1954),
La Table de cuisine,
1925

Différents ustensiles de cuisine sont posés sur une petite table en bois. La disposition apparemment aléatoire se révèle en réalité soigneusement étudiée. Le peintre place chaque objet le long de deux diagonales imaginaires qui se croisent au niveau de la poêle. Le saladier, un vase et des couverts en métal remplissent le reste de la surface. Certains éléments se prolongent au-delà de la limite de la table, rompant cet équilibre : le chiffon, qui menace de tomber par terre et le manche de la grille, qui touche presque le mur. Tout autour, les murs dépouillés ramènent l'attention de l'observateur sur les objets représentés avec une précision photographique. L'ex-chantre du fauvisme joue à présent la sobriété : avec son harmonie de tons blancs, gris et marron, l'œuvre est empreinte d'une atmosphère simple et paisible.

André Derain (1880-1954), ***Portrait de Madame Paul Guillaume au grand chapeau***, vers 1928-29

Vêtue avec une élégance sobre, Domenica Guillaume pose pour l'artiste dans l'appartement parisien de ce dernier. La toile est une commande de l'époux de la jeune femme, le collectionneur Paul Guillaume, destinée à décorer leur domicile. On aperçoit dans le fond une toile précédente de Derain, ébauchée, mais reconnaissable : *Arlequin et Pierrot*. À côté, une lourde tenture rouge foncé réchauffe l'atmosphère et exalte la silhouette lumineuse du modèle. Derain choisit ici une gamme chromatique chaude. Du grand chapeau aux reflets dorés à la robe beige sur laquelle retombe une étole de la même couleur, en passant par les boucles d'oreilles en perle et la peau lisse du personnage, le peintre explore toutes les nuances du beige et de l'ocre. La distinction raffinée de Domenica est accentuée par son regard vif et intelligent. Un reflet de lumière scintille dans ses yeux agrandis par des sourcils fins et joliment arqués.

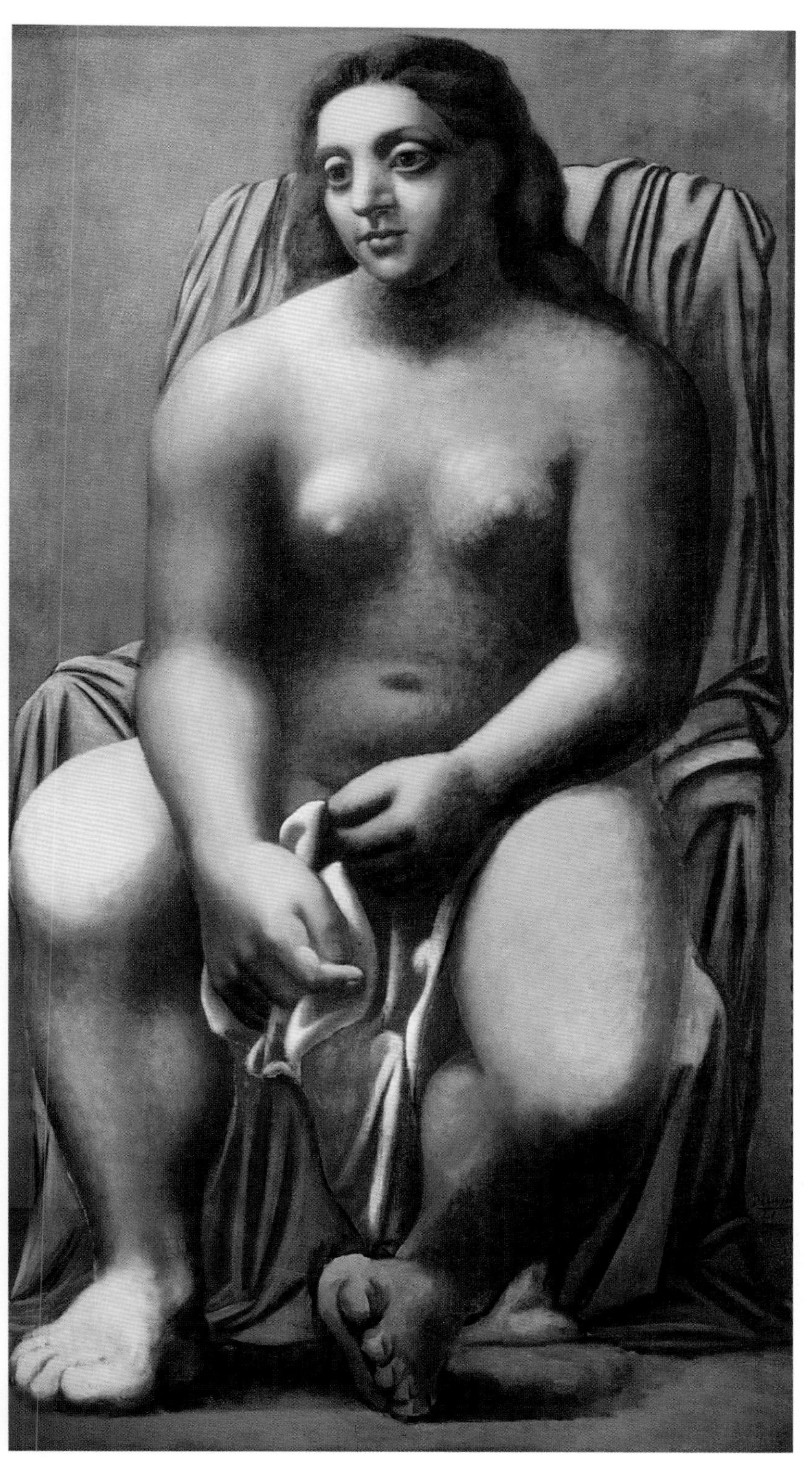

■ **Pablo Picasso**
(1881-1973),
Grande baigneuse,
1921

Cette baigneuse nue remplit entièrement l'espace avec sa silhouette monumentale. Son corps est modelé comme celui d'une sculpture. L'utilisation de tons froids qui se limitent aux nuances du gris et du rose accentue cette impression. Là où elle est frappée par la lumière, la peau revêt des tons marmoréens. Comparés à la tête, les bras et les jambes semblent encore plus gigantesques. La taille imposante du personnage contraste avec le regard tendre que nous jettent ses grands yeux noirs. Ses cheveux, implantés de façon à former une ligne nette autour de son front, retombent en grandes mèches bouclées dans le dos. Le fauteuil est recouvert d'un lourd drap gris dont les plis rappellent les rainures d'une colonne classique.

Salle de Derain

André Derain est l'artiste le plus présent dans la collection Guillaume/Walter, avec un total de 28 toiles. Les œuvres qui ont suscité l'intérêt du marchand d'art couvrent dix ans de la production du peintre, pendant la période où il abandonne la violence fauve pour se tourner vers les maîtres classiques, français ou italiens.
Ses paysages sereins et ses natures mortes sont un hommage aux grands artistes du passé, expression d'une palette limpide et d'un pinceau naturaliste qui feront de Derain l'un des peintres les plus appréciés du public.

■ **André Derain**
(1880-1954),
Arlequin à la guitare,
1924

Un Arlequin grandeur nature se dresse sur une petite colline de terre aride. Il tient dans ses mains une guitare sans corde qu'il pose sur sa jambe pliée. Ses yeux fixent un point situé hors de la toile. On ne lit aucune expression sur son visage. Son sérieux contraste nettement avec ce qu'on pourrait attendre d'un personnage de la *Commedia dell'arte* au masque d'habitude si joyeux. Le paysage derrière lui est dépouillé et tout juste avivé par quelques taches de couleur claire. La portion de ciel bleu est envahie d'épais nuages blancs. Le dessin est clairement défini, mais c'est l'utilisation particulière de la couleur qui donne vie au tableau : les touches de Derain sont comme des jets nerveux de matière qui animent cette composition d'une grande simplicité.

■ **André Derain**
(1880-1954),
La Route,
1932

Une route ensoleillée et déserte longe la campagne, menant vers des collines délicatement ondulées. Au loin, on entrevoit un village immobile, éclairé par une lumière limpide. Le ciel clair et sans nuage est représenté avec des touches de sens opposé. Les couleurs vives et lumineuses sont juxtaposées en léger dégradé et distribuées en petits rectangles aux nuances différentes. Chaque élément du paysage, du feuillage des arbres aux maisons, peut être décomposé en volumes géométriques, cubiques ou circulaires. Cette façon de construire l'image n'est pas sans rappeler à la fois Cézanne et l'expérience cubiste.

■ **André Derain**
(1880-1954),
La Nièce du peintre,
1931

Geneviève, la jeune nièce du peintre, pose avec la légèreté d'une danseuse. Elle est en appui sur la pointe d'un pied, une jambe pliée sur la chaise, comme prête à s'envoler. Sa robe plissée suit les lignes de son corps, soulignant la cambrure du buste. Elle jette un regard distant et mélancolique au-delà de l'observateur, affichant une attitude étrangement sérieuse et détachée. Elle tient dans une main un petit bouquet de fleurs et dans l'autre, son chapeau de paille aux reflets dorés. À côté d'elle, le panier de fruits placé sur la chaise équilibre une composition qui serait autrement toute en hauteur. Le fond sombre fait ressortir sa silhouette éthérée, presque irréelle, éclairée par une source de lumière provenant de la gauche.

Salle d'Utrillo et Soutine

Sur les murs de cette salle, les toiles d'Utrillo expriment silencieusement le drame personnel de leur auteur, la souffrance intérieure qui le ronge et qui le pousse à chercher refuge dans l'alcool. Les représentations d'un Paris de carte postale, ses rues, ses églises, ses maisons, sont toutes imprégnées de mélancolie : murs gris, ciels lourds, bâtiments délabrés illustrent son désespoir. Les tableaux de Chaïm Soutine présentent la même tonalité dramatique. Mais, aux teintes pauvres d'Utrillo, le peintre lituanien préfère des couleurs puissantes et des lignes agitées. La violence des créations de Soutine, avec ses déformations exaspérées, illustre de façon exemplaire la variété des goûts du collectionneur chevronné qu'était Paul Guillaume.

■ Maurice Utrillo
(1883-1955),
Notre-Dame,
vers 1910

La façade de la cathédrale de Notre-Dame se dresse majestueusement, occupant presque entièrement l'espace de la peinture. On peut à peine entrevoir deux petites maisons, à gauche de l'édifice. Le peintre néglige les détails figuratifs de la façade, reportant toute son attention sur les éléments géométriques qui la composent : la rosace au centre, les ogives des portes et des fenêtres, les balustrades rectangulaires, auxquelles il porte un intérêt tout particulier. Cette composition géométrique est dominée par une palette éteinte : des gris, des ocres et des verts qui se mêlent les uns aux autres. Seul le rouge de la porte centrale réchauffe cette harmonie de teintes froides. Le fait qu'il n'y ait aucune trace de la décoration richement sculptée des portes ainsi que l'élaboration très rapide du ciel font dire à certains qu'il s'agit peut-être d'une œuvre inachevée.

Maurice Utrillo (1883-1955), ***La Maison de Berlioz***, 1914

Les rues de Montmartre sont le sujet de prédilection d'Utrillo. Il peint ici la maison du compositeur Hector Berlioz, située à l'angle de deux des rues les plus anciennes du quartier. Les murs blancs, recouverts de couches épaisses de peinture plus foncée, sont délimités par un contour brun. Les façades sont percées de deux fenêtres et d'une toute petite porte. Le profil ondoyant de la rue et le bâtiment bancal au second plan renforcent l'impression de désarroi qui émane de cette peinture. Les rares feuilles des arbres sont la seule trace de vie présente dans ce désert blanc. L'atmosphère d'incertitude et de solitude, renforcée par l'utilisation de couleurs pauvres et délavées, est sans doute due à la période où Utrillo a peint ce tableau : le début d'une guerre pour lui – comme pour beaucoup – totalement incompréhensible ! C'est peut-être pour l'évoquer qu'il a ajouté le drapeau français qui flotte juste à côté de la maison.

■ **Chaïm Soutine**
(1893-1943),
La Maison blanche,
vers 1918

Une maison blanche toute en hauteur surgit sur une pente escarpée et fleurie. Son crépi est ravivé par des taches compactes de jaune et de gris. À l'une de ses deux fenêtres, on aperçoit un personnage à peine ébauché : on peut distinguer une tête et des mains sur sa silhouette sombre. Soutine peint l'herbe avec des bandes de couleur denses, mélange de vert et de marron parsemé de touches de jaune. Un arbre jaune filiforme se dresse à côté de la maison, à laquelle on arrive par un sentier clair qui se sépare en deux au premier plan. Le ciel gris est réalisé rapidement, à peine éclairci par des bandes blanches situées près du bord de la toile. La déformation typique du style de Soutine est moins accentuée ici qu'à l'habitude. Les éléments sont bien reconnaissables, et si la palette est vive, elle est sans excès.

■ **Chaïm Soutine** (1893-1943), ***Le Village***, vers 1923

Le village peint par Soutine est celui de la Basse Gaude, près de Cagnes-sur-Mer, sur la Côte d'Azur, auquel l'artiste lituanien a consacré une série de neuf peintures. Pour ne pas être dérangé durant son travail, le peintre a placé son chevalet derrière un arbre. On peut en reconnaître le tronc au premier plan, tordu mais bien visible. Les branches s'étendent vers le bas, ornées de bouquets verts. Des sentiers tortueux en terre battue mènent aux maisons du village. Le ciel rempli de nuages blancs s'insinue difficilement entre l'ocre des rochers et le jaune vif des bâtiments. Soutine soumet son paysage à une violente distorsion ; les couleurs vives se mélangent et les formes sont difficiles à distinguer. Une énergie nourrie d'angoisse émane de l'œuvre : le paysage devient pour le peintre un moyen d'exprimer sa vision dramatique du monde.

■ **Chaïm Soutine**
(1893-1943),
Enfant de chœur,
vers 1927-28

Cet enfant de chœur s'inscrit sur un fond bleu nuit profond. Représenté de trois-quarts, il jette un regard calme et pénétrant à l'observateur.
Les mains jointes et l'air sérieux, il semble déjà prêt à servir la messe.
La largeur de ses vêtements fait paraître son visage allongé encore plus maigre. Il porte un surplis blanc sur sa robe rouge foncé.
Des taches de rouge, de bleu, de jaune et de vert font vibrer le tissu.
Le blanc devient la base d'un mélange de couleurs riche et audacieux.
La rapidité d'exécution, l'épaisseur de la matière picturale et le choc des couleurs donnent à ce portrait une présence et une intensité inquiète, et font de son auteur l'un des grands chantres de l'expressionnisme.

*Les agencements du musée subissent de fréquentes modifications.
Par conséquent, il se peut que l'emplacement des oeuvres mentionnées
change au fil du temps.*